Ai

Max
chez P

Dominique de Saint Mars

Serge Bloch

CALLIGRAM

CHRISTIAN GALLIMARD

Série dirigée par Dominique de Saint Mars

© Calligram 2015
Tous droits réservés pour tous pays
Imprimé en Italie
ISBN : 978-2-88480-695-4

On a une occasion de partir en Grèce pour pas cher... Si vous pouviez garder Max et Lili... C'est les vacances... Ça nous dépannerait...

Hum !

Ah ! Vous aviez des projets... Et votre soirée dansante de tango... J'entends papy qui râle... Désolée...

Personne ne veut de nous ! Faut trouver une famille d'accueil...

Monde cruel !

Oh, merci, merci...

* Retrouve la grand-mère de Koffi dans *Max et Lili se posent des questions sur Dieu*.

6

* Logiciel qui permet de se téléphoner et de se voir sur un écran par Internet.

8

9

11

* Convention signée en 1989, par les pays du monde, pour donner des droits aux enfants et obliger à les respecter.

Tu te tiens droite, Lili !

Max, tu fais tout tomber par terre... Tu ramasseras !

Je compte sur toi...

On dit : « Mamie, est-ce que je peux sortir de table s'il te plaît, c'était très bon, merci ! »

17

* Mot qui vient du latin et qui veut dire : « Je, moi ».

* C'est quand la pression du sang augmente dans les artères du corps.

22

* Mouvement de révolte étudiante et manifestations du printemps 1968.
* Retrouve Benjamin, le frère de Paul, dans *Le cousin de Max et Lili se drogue*.

* Gymnastique traditionnelle chinoise.
* Retrouve le grand-père de Max et Lili dans *Max ne respecte rien*.

28

Et les jours suivants...

PISCINE

musée

29

Papy a montré ses bons côtés...

C'est pas grave, tu ne l'as pas fait exprès !

32

33

On n'arrive pas à dormir!

On peut venir dans votre lit?

Crème pour les rides! On vieillit un peu chaque jour, même si on se sent jeune à l'intérieur...

En fait, chaque ride raconte une petite histoire de ta vie...

Tu es poète, Lili! Je t'adore, ma puce!

Moi aussi, je suis poète...

Allez, dans votre lit, c'est moi qui lis!

37

Et toi...

Est-ce qu'il t'est arrivé la même histoire qu'à Max et lili ?
Réponds aux deux questionnaires...

Ils sont gentils? sévères? Ils te font des cadeaux? trop?
Qu'aimes-tu chez eux? Ils te critiquent parfois?

Ils ont du temps pour toi? Ils t'écoutent?
Tu te confies à eux? Ils t'aident, même à travailler?

Ils s'entendent bien? Ils cuisinent bien? Ils disent bravo?
Tu te sens unique, important, en sécurité?

Tu leur ressembles? Ils te parlent de l'enfance de ta mère,
de ton père? Tu as des arrière-grands-parents?

Ils te font découvrir leurs valeurs, le respect, la nature,
le bricolage, la cuisine? Tu leur apprends des choses?

Ils aident tes parents, qui leur font confiance?
Ils t'ont parlé d'un être qu'ils aimaient et qui n'est plus là?

41

Ils habitent loin? Tu ne les vois que sur écran?
Tu communiques avec eux par Skype, blogs ou jeux vidéo?

Ils sont absents, malades ou morts? On t'en a parlé,
tu as des photos? ou tu ne sais rien d'eux?

Tes parents sont fâchés avec eux? Tes grands-parents
critiquent tes parents? Tu en souffres?

S'ils sont privés de toi, ils ont du chagrin, de la colère?
Mais tu ne veux pas faire de peine à ton père ou à ta mère?

Tu ne te sens pas aimé par eux? Ils préfèrent les autres?
Ils te font peur? Tu n'aimes pas qu'ils t'embrassent?

Tu t'imagines vieux? Qu'aurais-tu envie de dire
à tes petits-enfants ou de faire avec eux?

43

**Après avoir réfléchi
à ces questions
sur les grands-parents,
tu peux en parler
avec tes parents ou tes amis.**

Dans la même collection

Application Max et Lili
disponible sur

 App Store

Google play

www.editionscalligram.ch

 Suivez notre actualité sur Facebook
https://www.facebook.com/MaxEtLili